S0-BJY-227

En hommage à l'album *Max et les Maximonstres*
qui m'accompagne depuis des années.

**M.**

À Magdalena.

**C. D.**

www.editions.flammarion.com

Éditions Flammarion – 87, quai Panhard-et-Levassor – 75647 Paris Cedex 13
ISBN : 978-2-0813-6243-7 – N° d'édition : L.01EJDN001160.N001
Dépôt légal : avril 2016
Imprimé en France par Pollina S. A. – 02/2016 - L75293
Loi n° 49-956 du 16 juillet 1949 sur les publications destinées à la jeunesse

# Les monstres de la nuit

Texte de **Magdalena**
Illustrations de **Christine Davenier**

Père Castor • Flammarion

Tous les soirs,
Papa lit une histoire à Petit Louis.
Ce soir, Petit Louis a choisi
une histoire de monstres.

– Tu n'auras pas peur ? demande Papa
en éteignant la lumière.
– Non, même pas peur des monstres !
répond Petit Louis, sûr de lui.

Une fois Papa parti, Petit Louis,
dans son lit, n'arrive pas à s'endormir.

Il appelle Papa.
Papa lui porte un verre d'eau.
Mais ça ne suffit pas.

Il rappelle Papa.
Papa revient et allume la veilleuse.
Mais ça ne suffit toujours pas.

Maintenant, Petit Louis
a les yeux grands ouverts,
il regarde la nuit.

Et tout à coup,
un ogre entre dans la chambre,
se penche au-dessus du lit
en montrant ses grandes dents.

Mais Petit Louis dit :

L'ogre, vexé, va chercher du renfort.
Il revient avec une sorcière.

L'ogre et la sorcière
se penchent au-dessus du lit,
et la sorcière fait d'affreuses grimaces.

Mais Petit Louis dit :

La sorcière, vexée,
va chercher du renfort.
Elle revient avec un troll.

L’ogre, la sorcière et le troll
se penchent au-dessus du lit,
et le troll crie « Bouhhhhh ! ».

Mais Petit Louis dit :

Le troll, vexé, va chercher du renfort.
Il revient avec un loup.

L'ogre, la sorcière, le troll et le loup
se penchent au-dessus du lit,
et le loup montre ses crocs en grognant.

Mais Petit Louis dit :

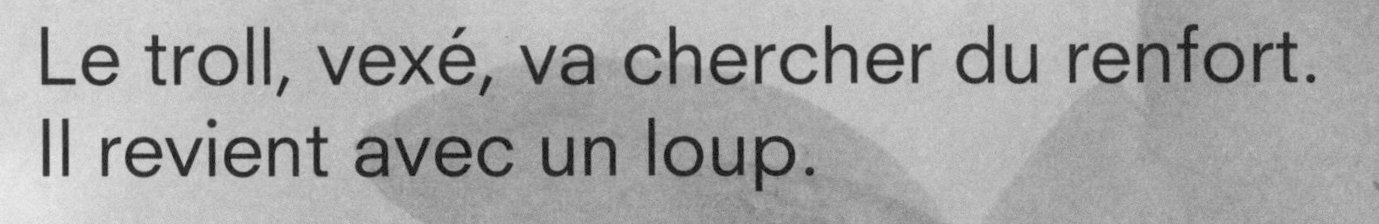

L’ogre, la sorcière, le troll et le loup s’assoient au bout du lit, dépités.

Les enfants n'ont plus peur de moi.

Ils n'ont plus peur de rien du tout.

Faut croire qu'on compte pour du beurre maintenant.

Pensez à notre réputation : si on apprend qu'on ne fait plus peur, on est fichus, il n'y aura plus d'histoires sur nous.

Petit Louis est embarrassé, il voudrait bien les aider.
– Bon, je vais crier pour faire semblant d'avoir peur,
et en échange, vous me faites votre danse.
– Notre danse des monstres du livre ?
dit le troll en commençant à se trémousser.

L'ogre, la sorcière, le troll
et le loup dansent autour du lit
en levant les bras
et en poussant des cris.
Petit Louis applaudit.
– Vous êtes trop forts, j'adore !
Et il se met aussi à crier
en sautant sur son lit.

PAPAAA !
Y a des monstres
autour du lit !

Quand Papa entre dans la chambre,
les monstres se sont cachés.
– Ils sont partis ! dit Petit Louis.

Papa dit :
– Ils ne doivent pas être bien loin.
Et il crie :
– C'est quoi ce bazar ?
Revenez immédiatement me voir.

Les monstres réapparaissent un peu penauds.
– C'est l'heure de dormir, allez zou !
Tous au lit comme Petit Louis, ajoute Papa.

– Il a oublié de faire le bisou du soir, chuchote l'ogre.
– C'est pour ça qu'il ne dormait pas, le petit !
réplique la sorcière.
Alors Papa se penche pour embrasser Petit Louis.

Après le bisou du soir,
Petit Louis s'endort enfin.